KB001480

호수 일지

문서진

돌과옷

이 일지는 미국 메인 주의 작은 마을 몬슨에 머무는 동안 퍼포먼스 〈살아있는 섬〉을 진행하며 적어내려간 기록이다. 얼어붙은 헤브론 호수 위에다 매일 삽으로 눈을 쌓아올린 이 작업은 2020년 2월 7일에 시작해 2020년 3월 5일에 끝났다.

첫째 날

2020년 2월 7일

눈, 최저기온 1℃, 최고기온 2℃

촬영에 필요한 준비를 끝내고 오후에 호수로
나갔다. 눈이 왔고 바람은 없었으며 날씨는 따듯한
편이었다. 두 시간 가량 일을 했는데 생각보다 큰
성과가 있었다. 눈이 많이 와서 주변에 쌓인 눈으로
섬을 쌓기 시작하다 보니 멀리까지 움직이지 않고도
꽤 많은 눈을 쌓을 수 있었기 때문이다. 무에서
쌓기 시작한 시점이라 더 변화가 커 보였을 것이다.
성과가 눈에 보이는 느낌은 급격히 사라져 갈 것이라
생각한다.
호수에 나가있을 때는 조금 무섭다. 얼음이 두꺼워서
깨지진 않을 거라고 이곳 레지던시 디렉터인 댄이
말했었고, 스노우 모바일이 잘 다니는 걸 보면
안전한 것 같지만 눈을 쌓다 보면 얼음에 하중이
많이 실릴 텐데, 괜찮을까? 내가 삽질로 쌓아봐야
얼마나 쌓겠나 싶으면서도. 이 작업에서는 안전할
것을 가장 신경 써야 되겠다. 호수가 나를 허락해
주었으면 좋겠다.

오늘 눈이 와서 풍경이 아주 예뻤고 호수는 조용했다.

둘째 날

2020년 2월 8일

눈과 바람, 최저기온 -12℃, 최고기온 -4℃

하루 종일 눈이 왔다. 눈이 너무 많다. 재료가 도처에 널려있지만 몸이 따라갈 수가 없다. 온통 하얘서 천지 분간이 되질 않는다. 천지 분간이 되지 않는다는 말이 이렇게 적절할 수가 없다. 하얀 전지 위에 놓인 개미가 보는 풍경이 이런 느낌일 것 같다.

재료는 많지만 눈이 많이 쌓이면 마냥 좋을 수만은 없다. 걷는 것이 힘들어진다. 호수 중앙까지는 보통 걸어서 15분 거리 정도 되는데, 눈이 쌓이면 발이 푹푹 빠져 오고 가는 데 시간이 훨씬 오래 걸린다. 평지도 오르막처럼 힘겹게 느껴진다.

오전 오후 내내 내린 눈은 싸락눈이었다. 소복이 부드럽게 내리는 함박눈과는 달리 얼음 결정이 된 싸락눈은 매섭다. 바람도 많이 불어 눈 결정이 얼굴을 때리면 아프고 따가웠다. 싸락눈은 저녁이 되어서야 거센 바람을 동반한 함박눈으로 변했다. 오늘의 눈은 한참을 예쁘게 조용히 내리던 어제의 눈과는 전혀 다른 것이었고, 하루 중에도 양상이

급변했다. 이누이트의 말에는 눈을 구분하는 단어가 몇백 가지가 된다는데 나도 그들의 언어가 필요하다.

오후에는 일을 하다 한 동네 할아버지가 스노우 모바일을 타고 오셔서 내가 만들고 있는 섬이 스노우 모바일 라이더들에게 위험할 수도 있다는 이야기를 했다. 그분이 준 나뭇가지들을 섬 주변에 둘러치고 형광 주황색 테이프로 그 주변을 둘렀다. 이 섬이 그 누구도 다치게 하지 않기를 바란다. 나를 포함해서.

내일은 더 춥다는데 일할 것이 조금 걱정이다.

셋째 날

2020년 2월 9일

맑음, 바람 약간, 최저기온 -20℃, 최고기온 -11℃

거짓말처럼 멋진 하루였다. 햇살이 너무나 완벽했고, 간밤에 내린 눈이 바람결 따라 파도처럼 호수 표면 위에 조각되어 있었다. 호수 위는 하얀 사막처럼 비현실적으로 아름다웠다. 기온은 뚝 떨어졌지만 바람이 세지 않아 훨씬 일할 만했다. 지난밤 내린 눈에 섬이 커진 것 같기도, 도리어 파묻혀서 작아진 것 같기도 했다. 바람이 눈을 실어나르면서 호수를 평평하게 만드는 것 같다. 눈이 나를 돕는 것인지 아니면 일을 더 힘들게 하는 것인지 모르겠다. 그래도 간밤의 눈 덕분에 재료도 더 많이 생겼고 눈이 다져져서 섬 위에 올라갈 수도 있게 되었다. 눈이 내 일을 도루묵으로 만든다고 생각해 봐야 어차피 내가 이길 수 있는 상대도 아니니 그냥 나를 도와주고 있는 거라고 생각하는 게 좋겠다. 싸락눈과 함박눈 층으로 이루어진 간밤의 눈은 삽질을 하면 석고틀이 떨어지듯이 호수 표면 위에서 층을 지어 떨어졌다. 그 덕분에 눈을 퍼내는 일은 한결 수월하고 재미있었다.

이곳 사람들에게 엄청난 도움을 받고 있다. 댄과
댄의 아내 멜리사는 삼각대와 바지, 장갑을, 식당
요리사님이신 메리로는 신발을 빌려주었고, 그의
남편인 빌리는 오늘 스노우 모바일을 태워주었다.
이 겨울에 부실한 나의 장비로 이 작업은 도저히
실행할 수 없는 종류의 것이라는 점을 매일
확인하고 있는 가운데, 그들에게 감사의 마음을
전하고 싶지만 "땡큐 쏘 머치"라는 내 부족한 영어
한마디로는 마음을 전하지 못한다.
섬이 커졌으면 하면서도 여전히 얼음이 깨지면
어쩌지 싶은 마음에 조금 두렵다. 이곳 마을
사람들이 안전하다고 한결같이 말했으니 믿는
수밖에 없다. 적어도 이들은 나보다 이 호수를 잘
안다.

호수 위에 있는 것이 좋다. 해질녘 하늘이 아직 파랄
때 비현실적으로 크고 하얀 보름달이 호수 한 쪽
끝에서 얼굴을 내밀었고 호수 반대쪽 끝에서는 붉은
해가 내일을 기약하며 산 뒤로 넘어가고 있었다.

그리고 나는 해와 달 사이, 호수 한가운데에 서서
한눈에 들어오지 않는 그 풍경을 머릿속 한 장면의
파노라마로 만들기 위해 호수 양끝을 번갈아
쳐다보고 있었다. 하얀 사막 같은 호수와 그 양끝에
걸려있는 하얀 달과 붉은 해가 너무 거짓말 같은
풍경이어서 이곳이 정말 지구 위인 걸까 생각했다.

오늘 보았던 장면들을 몸에 잘 저장해서 훗날 다시
마음 속에서 꺼내볼 수 있도록, 잘 자야겠다.

넷째 날

2020년 2월 10일

맑음, 바람 없음, 최저기온 -12℃, 최고기온 -6℃

오전에 일을 하는 도중 호수 바닥에서 둥둥 하며
울리는 소리가 자주 들렸다. 한번은 크랙이 가는
소리도 들렸다. 어제보다 기온이 올라가서 얼음
상태가 더 약해진 걸까. 그동안에도 이 소리가 계속
들렸는데 바람 소리에 묻혀있던 걸까. 호수는 조용한
가운데 바닥에서 둥둥 하는 소리가 간헐적으로
들린다. 공포에 휩싸인 내 착각일지도 모르지만
가끔은 진동도 느껴지는 것 같다. 심장이 잔뜩
쫄아붙는다. 작은 소리에도, 층층이 생겨난 눈
조각들이 발밑에서 조금만 흔들려도 화들짝 놀란다.
호수 주변 숲에서는 누군가가 사냥을 하는지
간혹 가다 화약이 터지는 총소리가 들리는데 그
소리에도 마음이 철렁한다. 얼음이 깨져 호수에
빠지는 상상을 한다. 만일 정말로 내가 쌓은 섬이 이
얼어붙은 호수 표면을 깨뜨릴 정도로 무거워진다면?
그리고 나는 내가 쌓아온 눈과 함께 차가운 호수
밑으로 빨려 들어가게 된다면? 그런 장면을
상상하는 가운데 일단 삽질을 한다.
지금 이 얼어붙은 호수 표면 밑에서 대체 어떤 일이

벌어지고 있는 것인지 나는 알지 못한다. 정말 이 호수가 무너진다면, 그 순간이 언제일지, 며칠일지, 몇 시 몇 분 몇 초일지 나는 모른다. 그리고 그 누구도 모를 것이다. 내 발밑에서 일어나고 있는 일을, 그래서 얼마나 눈을 쌓아야 이 호수가 무너지는지를, 내가 정확히 알고 있다면 나는 이 일을 더 진행할 수 없을지도 모른다. 혹은 안심하고 더 큰 섬을 쌓으려 욕심낼지도 모르겠다. 나는 지금 내 발밑에서 일어나는 일을 모르기 때문에 이 일을 계속할 수 있는 것일 수도 있다.

무거운 눈더미와 함께 차가운 물속으로 빨려 들어가면 살아나올 수 있을까? 작업을 하다가 죽는 건 상상해 보지 않은 일인데, 아직 젊은 나이에 이렇게 죽을 수는 없는데, 별별 생각을 다 하면서 삽질을 한다. 그러나 나는 내가 며칠 몇 시 몇 분 몇 초에 죽게 될지 도무지 모른다. 죽는 그 순간마저도 내가 죽는다는 것을 알 수나 있을까?

모르기 때문에 하는 쪽을 선택할 수도, 하지 않는 쪽을 선택할 수도 있다.

미지에 대한 두려움으로 떨고 있을 수만은 없다.

모르기 때문에 나는 하는 쪽을 선택하기로 했다.

다섯째 날

2020년 2월 11일
날씨는 기록하지 못했음

오전에는 쌓인 피로를 풀기 위해 일을 쉬었다.
늦잠을 잤고, 빨래를 했다. 잠을 충분히 잔 덕분에
오후에는 힘든 줄 모르고 일했다. 눈이 그쳐 일하기
더 편했던 것 같다. 새로 내린 눈은 푹신푹신하고
부드러웠다. 눈이 단단하게 얼어붙고 있었는데 새
눈이 오니 다시 눈을 퍼내는 일이 쉬워졌다. 삽에
눈이 다소 엉겨 붙기는 하지만 크게 문제가 되지는
않는다. 이 호수도 날씨도 모두 나를 도와주고
있는 것처럼 느껴진다. 오늘은 호수가 조금은 덜
무서웠다.

어제 호수 바닥에서 나던 소리의 원인을 빌리에게
들어서 그런 것 같다. 눈이 많이 쌓이고 날씨가
추워지면 호수 위 얼음들이 자리를 잡는데, 그
과정에서 묵직하게 울리는 소리가 난다고 했다.
호수가 스스로 소리를 내고 있다니 신비롭다. 봄이
되어 얼음이 녹을 때는 쩡 하고 얼음이 깨지는
소리가 들린다는데 그 소리는 또 다를 것이다.
그러나 내가 이 일을 하고 있는 동안은 듣고 싶지

않은 소리이다.

그렇다고 호수가 무섭지 않은 것은 아니다. 이게
과연 도움이 되는 걸지는 모르겠지만, 주변에서
눈을 계속 퍼다 쌓으면 섬 주변부만 눈 두께가
얇아질 테고 그러면 얇은 부분으로 하중이 더
많이 실릴지도 모른다는 나의 빈약한 물리적 추
측에 근거해서 섬 주변 넓은 지역에 걸쳐 눈을 퍼다
나르고 있다. 가끔 눈을 많이 퍼서 얼음 바닥을
만나면 왠지 또 무서운 느낌이 들어 다시 눈으로
가려놓는다. 무게를 고르게 분산시키는 데 어느
정도 도움은 되는 건지, 아무짝에도 소용이 없는
일인지 모르겠다. 아무래도 부질없는 일인 것 같지만
그냥 조금이라도 내 마음의 안정을 위해서 하는
일인 듯하다.

일할 때 마실 물을 들고 가는 걸 까먹은 날, 목이
마르면 눈을 씹어 먹었다. 예전에 산에 다니면서
배운 것인데 눈을 먹는 것은 수분 보충에 큰 도움이

된다. 날마다 먹는 눈의 맛이 조금씩 다르다.
얼어붙은 정도도 달라서 식감도 다르다. 어제 온
눈은 얼어붙어서 아삭아삭한 크런치 같은 느낌이
났는데 오늘 온 눈은 새 눈이라 보슬보슬 부서져
입안에서 녹아버리는 식감이었다. 요 이틀간 오지
않다가 온 눈이라 그런지 미세하게 먼지 맛이 났다.

예보를 보니 한동안은 기온이 계속 올라갈 예정이다.
내일 모레나 글피쯤엔 최고기온이 영상으로
올라간다. 얼음의 상태가 무사했으면 좋겠다.

여섯째 날

2020년 2월 12일

눈 조금, 바람 없음, 따듯한 날씨, 최저기온 -4℃, 최고기온 -1℃

아침에 일어나는 일이 점점 힘들어진다. 몸이 서서히 신호를 보내기 시작한다. 초반 며칠간의 노동으로 생겼던 어깨 통증은 일이 익숙해지면서 사라졌는데, 이번에는 허리와 고관절이 말썽이다. 스트레칭도 더 열심히 해야 할 것 같고, 무엇보다 하루는 쉬어야 할 것 같다. 생각해 보면 내가 했던 작업 중에 이 일은 가장 무거운 작업이다.

날씨가 흐리면 배경에 묻혀 섬이 잘 보이지 않는다. 사방팔방이 다 하얀색이라 바로 앞에 있어도 잘 안 보일 정도다. 그나마 봉우리 부분이 호수가 끝나는 지점에 있는 숲을 배경으로 간신히 보인다. 구름이 해를 가리고 있으면 섬은 배경에 스며들어 있다가 햇살이 비춰야만 그 존재가 눈에 드러난다.

눈을 가만히 들여다보면 눈 결정이 매일 조금씩 다르다. 오늘 온 눈은 육각형의 별 같은 결정이 아니라 옆으로 길게 찢어진 생김새를 가지고 있었다. 매일 보는 눈이 모양새도, 맛도, 냄새도, 촉감도 다

다르다.

하루가 무섭게 간다. 호수에 나가 일하고 있으면 금세 해가 진다. 삶이 단순하다.

내일도 호수님이 무사하시기를, 그리고 나도 무사하기를 바란다.

일곱째 날

2020년 2월 14일

눈, 바람 없음, 최저기온 -17℃, 최고기온 0℃, 비교적 따듯한 날씨

오전에 내리던 함박눈은 오후 들어서 잦아들었다. 눈 결정을 들여다보니 전형적인 육각형 모양의 함박눈이었다. 지난 며칠간 눈이 많이 온 덕분에 작업이 쉬워진 부분도 있고, 어려워진 부분도 있다. 도처에 널려있는 것이 재료라는 점은 좋은 것 같고, 온통 하얘서 촬영이 어렵다는 점과 눈이 쌓여서 호수의 얼음이 얼마나 더 견딜지 조금 더 두려워졌다는 점은 어려워진 점인 듯하다.

며칠 새 계속 내린 눈이 호수 위에 쌓였다. 그리고 쌓이고 쌓인 눈은 자기들끼리 뭉쳐 녹고 다시 얼기를 반복했다. 영하에 가까운 날씨, 혹은 그보다 더 추운 날씨가 최근에 계속 이어졌기 때문에 눈이 많이 녹은 것 같지는 않다. 다만 무게에 눌린 눈이 압력에 의해 살얼음처럼 변하면서 얼음과 분리된 눈 층이 생겨났다. 이제는 눈이 워낙 두껍게 쌓여서 최소 이십 센티미터를 넘는 눈이 얼음 위 지층을 이루고 있다. 발을 내디딜 때마다 눈 층이 발밑에서 부스러지고 부서진 판들이 이리저리

들리는 현상을 느낄 수 있는데, 이 호수가 무너질까 항상 두려워하고 있는 나로서는 심장이 철렁하고 내려앉는 일이다.

여전히 아침에 일어나는 일은 너무 힘들다. 그리고 퇴근길에 숙소로 돌아오는 길도. 입에서 저절로 욕과 곡소리가 함께 나온다. 아침에 일어나면 대체 내가 왜 이 일을 해야 하는 건지, 왜 하기로 한 것인지 나 자신이 원망스럽게 느껴진다. 며칠 사이 일이 익숙해지고 나니 의심이 마음에 슬금슬금 자라는 것 같다.

호수가 대답해 줄 것이다. 이미 대답을 들은 걸지도, 앞으로 들을지도, 아니면 아예 듣지 못할지도 모른다. 그러나 내게 주어진 시간을 채워야만 그렇게 얻어진 것이 무엇이든 납득할 수 있을 것이다. 그래서 이곳에 머무르는 시간 동안 약속된 모든 기다림을 수행해야 한다. 그것의 결론이 무엇이든. 그런 의미에서 이 일을 끝내는 방법은 두 가지밖에 없다. 이곳에게 내게 주어진 시간이 다 지나가든, 혹은 호수 바닥이 무너지든. 나는 그 끝이 첫 번째이기를 빈다.

여덟째 날

2020년 2월 16일

맑음, 오전의 온화한 바람에서 오후의 앙칼진 바람으로,
최저기온 -12℃, 최고기온 -7℃

호수가 요동을 친다. 눈 아래 무슨 일이 일어나고 있는 건지 보이지 않지만 느낄 수 있다. 일을 쉬었던 어제는 날이 매우 추웠다. 이번 겨울 중 가장 추운 날이라고 했고, 기온은 영하 22도까지 내려갔다. 어제 기온이 뚝 떨어지면서 호수 밑에서 어떤 움직임들이 생긴 게 분명하다. 오늘 호수에 나가보니 눈은 딱딱하게 얼어있었고 그 얼어붙은 눈 위에 미세한 크랙들이 생긴 게 보였다. 눈을 밟을 때 들리는 소리도 달라졌고, 부위별로 달라서 발걸음을 내디딜 때마다 들리는 소리의 질감도, 높낮이도 다 다르다.

오전에 일을 하다가 발밑에서 우지직 우지직 하고 얼음이 갈라지는 소리를 들었다. 꽤나 큰 소리였고 내 바로 밑에서 일어나고 있는 일이라는 것을 단박에 알아차릴 수 있었다. 여느 때와 다름없이 삽질을 하던 중 경악을 하여 삽을 던지고 섬으로부터 멀리 도망쳤다. 순식간에 공포로 정신이 나간다. 발밑에서 일어나고 있는 상황을 눈으로 보지 못하니 소리에 신경이 예민하게 곤두선다.
청력이 1.4배 정도 좋아지는 느낌이다. 아무래도
인간이 자연을 관찰하게 된 것은 생존 본능에서
기인한 게 틀림없다. 만약 오늘 들었던 우지직 하는
소리가 빌리가 말했던 것처럼 호수가 두꺼워지고
자리를 잡는 과정에서 나는 소리라면, 일전에 내가
들었던 둥둥거리는 소리는 또 다른 것일 거다.
그 소리의 근원이 무엇인지 다시 미궁에 빠진다.
얼음 밑 물속에서 물고기들이 얼음 표면을 때리는
소리였을까? 얼마 전에 우연히 보게 된 수달이 물
밑에서 물장구를 쳤던 것 아닐까? 그럴 것 같지는
않지만 그런 거라 믿고 싶다. 오늘 들었던 그
무시무시한 소리가 얼음이 깨지는 게 아니라 얼음이
두꺼워지고 자리 잡는 과정에서 난 것이길 바라니까.

섬은 점점 커지고 더 무거워진다. 그리고 그 섬은
불안한 얼음 지대 위에 서있다. 정말로 내가 이
일을 하다가 차가운 물속에 빠져 죽는다면, 나는
스스로를 파멸시키는 바벨탑을 짓고 있는 것이

되는데, 그것만큼은 하고 싶지 않은 일이다. 이렇게
쌓은 섬이 내 욕망의 바벨탑이라고 생각하면
끔찍하다. 흉물스러워서 볼 수가 없을 것 같다.
이 섬이 나를 함몰시키는 탑이 되지 않으려면
나는 여기서 죽어선 안 된다. 일단 살아있을 것.
그 방법밖에는 없다. 여기는 내가 죽을 자리가
아니다. 죽을 자리를 내가 선택할 수 있는 것인지는
모르지만, 어쨌든 여기는 아니다.

오늘은 하루 종일 추웠다. 일을 하는 게 힘들었지만
추워서 얼음은 더 두꺼워졌다고 믿고 싶다. 종일의
공포와 긴장으로 피로한 해질녘, 햇살이 구름
위에 거짓말처럼 멋진 석양을 찢어발겨 놓았고 그
풍경에 잠시나마 피로감이나 두려움 같은 것은 잊고
정신없이 카메라 셔터를 눌렀다.

아홉째 날

2020년 2월 17일

흐림, 바람 없음, 최저기온 -5℃, 최고기온 0℃, 따듯한 날씨

날씨는 따뜻했고 호수는 평온했다. 어제 봤던 미세한 크랙들은 아주 약간 더 깊어져 있었다. 일을 시작한 지 며칠 안 되었을 때 들었던 그 둥둥거리는 소리를 오늘도 들었는데 원인은 도무지 모르겠다. 어쩌면 호수에서 나는 소리가 아니라 멀리서 울리는 소리였을지도 모른다는 생각이 든다.

오늘은 이상하리만치 마음이 평온했다. 일을 늦게 시작해서 몸이 덜 힘들어서였을까? 내가 이 일을 분명히 좋아하고 있다는 걸 알았다. 호수에 나가는 건 괴롭고 두려운 일이지만 막상 호수에 나가면 이곳이 나를 부르고 있었다는 생각이 들 만큼, 내가 응답해야 하는 부름에 답을 한 것 같은 그런 느낌이 든다.

내일도 나와 내 사람들의 호수가 무사하기를 바란다.

열째 날

2020년 2월 18일

맑음, 바람, 최저기온 -17℃, 최고기온 -4℃

오늘은 바람이 좀 불었다. 시종일관 불어대는 것은
아니었지만 한번씩 불어오는 바람이 꽤나 매서웠다.
삽질을 할 때마다 바람의 저항이 느껴졌고, 삽날에
실린 바람에 따라 몸이 돛을 단 배처럼 이리저리
휘청거렸다. 바람이 눈보다 무거웠다. 눈만 옮길
때는 이렇게까지 무겁지는 않았는데 바람이 실리니
무게가 곱절이 넘는 느낌이다. 섬 위에 올라가
삽질을 할 때는 산비탈을 타고 오르는 바람 때문에
내가 눈을 쌓고 있는 건지 공중에 뿌리고 있는 건지
모르겠다는 느낌으로 그렇게 삽질을 했다. 내일은
바람이 오늘보다 더 분다는데 조금 걱정이다.
반가운 점은 내일 눈이 온다는 소식이다. 며칠간
날씨는 추웠고 눈은 오지 않았다. 섬 주변 눈은 이미
많이 긁어모은 데다가, 쌓여있는 눈은 꽁꽁 얼어
삽질이 점점 어려워지고 있던 차였다. 꽤나 멀리까지
나가 부드러운 눈이 쌓여있는 곳을 찾아서 눈을 퍼
오고 있었다. 눈이 더 오면 근처에 내린 새 눈으로
한결 쉽게 일을 이어나갈 수 있을 것이다.

퇴근 시간이 너무 늦어지고 있는 것 같다. 해가 지고
어둑어둑해지고 난 이후에 돌아오면 평상시에도
약간 무섭게 느껴지는 호수가 좀 더 무섭게
다가오기도 하고, 무엇보다 고속으로 달리는 스노우
모바일 운전자 분들이 어둠 속에 있는 나를 잘
보지 못하실 수도 있다. 어두워진 후 돌아올 때는
운전자들 눈에 띌 수 있도록 몸에 두르는 형광 띠를
빌리에게 받았는데, 형광 띠를 착용하는 것은 자꾸
잊어버리고 그러면서도 늦게 돌아온다.

해질녘 하늘이 너무 멋들어진 탓이다. 서편
하늘에는 불타는 노랑과 주홍, 동편 하늘에는
파스텔 톤의 분홍색, 보라색, 하늘색이
그라데이션을 이루는데 그 순간이 얼마 되지 않는
짧은 시간이라서 그때만큼은 하던 일도 멈추고
고정시켜 놓았던 카메라를 후닥닥 해체해 열심히
셔터를 누르게 된다. 그러나 그 색깔은 카메라가
절대 재현할 수 없는 그런 종류의 것인 듯하다.

행복하다. 호수에 나가면 나는 충만해져 돌아온다.
매일의 언어가 새롭다. 그 언어들을 모두 끌어안고
하나하나 기억해 적어 옮기고 싶지만 그것들을
변환하기에 내 언어는 역부족인 데다가, 내가
타자를 두드리는 속도보다 더 빨리 날아가 버리곤
한다. 미처 다 옮기지 못한 그 언어들이 내 몸 어느
한구석에 저장되어 있을 것이라 믿어둔다.

내일도 호수와 내가 무사하기를 바란다.

열한 번째 날

2020년 2월 19일

눈, 바람, 최저기온 -6℃, 최고기온 -4℃

아주 약간 눈이 온다. 점심때쯤부터 아주 작은 눈
결정들이 하늘에서 뿌려졌다가 시간이 지나면서
점점 더 굵은 눈으로 변했다. 공기 중의 눈 알갱이로
사방이 뿌옇다. 가시거리가 현격히 짧아진다.
매일 왔다 갔다 하던 출근길에 내가 쌓은 섬
쪽으로 걸어가면서도 이 길이 맞는지 약간 헤매는
기분이 들 정도다. 바로 앞에 가서야 섬이 보인다.
멀리 떨어진 회색 숲을 배경으로 봉우리 부분이
가까스로 눈에 띈다. 이 하얀 공간 속에서 삽질을
한다. 하양을 한 삽 떠다가 다른 하양 위에 놓는다.
하양을 쌓는다. 하얗고 하얗고 하얗다. 온통 하얘서
내가 제대로 하고 있는 것인지 모르겠다.

저번엔 한 동료 작가가 내게 물었다. 봄이 되어
이 섬이 사라지는 모습을 보고 싶지 않냐고. 잘
모르겠다. 이 섬의 마지막을 보고 싶은 것인지
아닌지. 이 섬은 또한 필멸의 존재이다. 그리고 봄이
되면 죽을 것이다. 알 수 없는 그 미지의 세계로
들어가는 섬을 나는 보고 싶은 걸까, 보고 싶지

않은 걸까. 그것을 본다면 내 마음은 어떨까, 보지
않는다면 그것은 또 어떤 마음일까. 아직은 잘
모르겠다. 다만 죽음이라는 미지는 미지인 채로
남겨두고 싶다. 나는 아직 더 살아야 하니까.

이 일을 하는 것이 좋다. 착각일지는 모르지만 이
일을 영원히 할 수 있을 것 같다. 행복한 시지프스를
상상한다. 매일 똑같은 노동을 반복하고 있는 그의
모습을 본다. 그러나 그의 일은 결코 매일 같을 수
없다. 그가 육체를 움직여 근육의 힘으로 바위를
옮기는 한 그의 일은 언제나 새로운 것이다.

내일도 호수와 내가, 내 사람들의 호수가,
무사하기를 바란다. 이 일을 할 수 있는 내일이
기대가 된다.

열두 번째 날

2020년 2월 20일
돌풍을 동반한 매서운 바람, 최저기온 -17℃, 최고기온 -4℃,
들쑥날쑥한 날씨

바람이 많이 불었다. 이 일을 하면서 이렇게 바람이 많이 부는 날은 처음이다. 출근길 썰매에 삽과 카메라, 간식을 실어 가는데 썰매가 연처럼 바람에 날린다. 바람이 휘몰아친다. 호수 위에 쌓여있던 눈송이들은 여름철 홍수물이 쏟아지듯이 바람결에 따라 이리저리 흩날린다. 강한 물살에 깎인 돌처럼 섬은 바람에 깎여 반질반질하게 날이 살아있다. 눈이 쌓인 흔적을 보면 바람이 지나다니는 길이 보인다. 섬이 바람을 막아서서 바람은 그 주변으로 흘렀다. 물이 계곡 한가운데 튀어나온 바위를 감싸 안고 흐르듯 바람은 섬을 끼고 돌았고 그 흔적이 해자처럼 섬 주변으로 남았다. 정신이 쏙 빠지는 미친 바람이다. 그렇지만 눈송이들이 호수 표면 위에서 홍수물처럼 쏟아지는 광경이 경이롭다. 바람이 불어오는 방향을 등지고 눈을 퍼 나른다. 섬 쪽으로 눈을 던지면 알아서 바람이 갖다가 붙여주겠거니 생각하며 삽질을 한다. 삽질이라 할지 눈을 그냥 공중에 날리고 있는 것이라 할지 애매하다. 날아가는 것 반, 섬에 가서 붙는 것 반인 듯하다. 도깨비 같은 날씨다. 바람이 하늘에 떠있는 구름을 세차게 밀어내고 새 구름을 채워 넣는다. 흐렸다가 맑았다가를 몇 분 사이에 계속 반복한다. 엄청난 바람이다. 내가 남겨놓은 삽질의 흔적도, 내 발자국도 10분도 되지 않아 다 지워버린다. 바람은 자신의 흔적을 제외한 다른 것의 흔적들은 조금도 허용하고 싶지 않은 것 같다.

일을 시작할 때쯤 커다란 새를 보았다. 아주 큰 새였다. 윙스팬이 내 키를 훌쩍 넘는 것 같다. 내 머리 위 십 층짜리 건물 높이쯤에 있었고 단박에 새가 엄청난 크기라는 걸 알 수 있었다. 검고 긴 날개와 두꺼운 몸통, 흰머리, 노란색 부리를 가지고 있는 전형적인 독수리의 생김새였다. 그렇게 큰 독수리는 정말이지 처음 보았다. 그 새는 내 머리 위 하늘을 둥글게 몇 바퀴나 맴돌더니 호수 위 나로부터 백 미터쯤 떨어진 곳에 착륙해서 한참이나 나를 쳐다보았다. 내 주변을 서성거리는 그 생명체의 몸집에 압도되어 덜컥 겁이 났다. 내가

저 생명체에게 사냥을 당할 정도로 가볍거나 작지는
않지만, 저것이 나를 먹이로 오인하여 사냥하려고
시도한다면 저 거대한 발톱과 부리에 꽤나 큰
상처쯤은 입을 수 있을 것 같은 느낌이었다. 겁도
나고 신기하기도 하고, 당황한 나는 미친 듯이
새에게 혼잣말을 했다.
"나는 맛도 없고, 네가 먹을 것도 못 되고, 질기고
이상한 섬유 껍데기에 쌓여있고 막상 껍데기를
벗겨봤자 냄새도 이상하고 맛도 없을 거야. 그러니까
우리 그냥 각자 할 일 하자. 내가 없을 때는 이 섬
위에 올라와도 되는데 내가 있을 때는 내가 널
좀 무서워하니까 가까이 안 왔으면 좋겠다. 여기
올라와서 전망 구경하고 싶으면 이따가 네 시간
후쯤에 오렴. 아, 근데 너는 전망 더 높은 데서 볼 수
있는데 굳이 여기 올라오고 싶니."
이런 헛소리로 시작해서, 그 새가 다시 날아올라
상공을 몇 바퀴 맴돌고 저 멀리 날아갈 때쯤 나는
어느새 그 새를 제우스님이라고 부르고 있었다.
그 새의 압도적 위용과 크기는 충격적이었다.

하늘을 나는 거대한 생명체라니, 이게 이렇게
무서운 것이라니. 이 호수 위에 있는 모든
것들 중 내가 가장 작고 약하다. 거대한 새며,
바람이며, 눈이며, 얼음이며 그 어느 것 하나 나를
압도하지 않는 것이 없다. 다른 많은 생명체들이
구사하는 은닉술이라든가 특별히 크고 날카로운
이빨이라든가 발톱처럼 대단한 필살기도 없는
인간은 그나마 무리 생활을 좀 대대적으로 하는
종이다 보니 그럭저럭 안전하게 살아온 것 같은데,
나는 지금 혼자다. 가장 가까운 인간 종은 나로부터
15분 이상 떨어진 거리에 있다. 두려움과 신기함,
경이로 압도된다. 이 모든 게 너무 무서운데 또한
이걸 내가 목격하고 있다는 묘한 흥분감이 있다.
한편으로는 미묘하게 안심이 된다.
'그래, 이 호수가 나 때문에 깨질 일 같은 건 생기지
않겠군. 나 같은 미물이 아무리 겨울 내내 섬을
쌓는다고 해도 이 호수 얼음에 금 하나라도 가게
할 수 있겠어? 호수에 금이 가게 할 수 있는 존재는
나보다 한참이나 거대한 존재일 것인데. 나 자신을

너무 과대평가했던 것 같다.'

오늘은 그렇게 아주 자연스럽게 납득이 되었다.

저녁 식사 시간에 빌리에게 물어보니, 그 새는 볼드
이글(bald eagle) 이라고 했다. 나는 이 새 때문에 잔뜩
긴장을 했었는데 식사 시간 다른 미국인 작가들은
그냥 동네 칠면조 얘기하는 느낌으로 이야기해서
조금 당황했다. 빌리의 말에 의하면 이곳에서
얼음낚시를 하시는 분들이 종종 이 새에게 새끼
물고기를 던져주기도 하는데, 물고기를 얻어먹은
기억 때문에 주변에서 맴돌았을지도 모른다고
한다. 아니면 사냥할 만한 다른 생명체를 찾았거나.
인간에게 별달리 해를 입히지는 않는 새라고 한다.
오늘처럼 호수에 나가서 겁을 먹고 돌아온 날,
빌리와 이야기를 하면 호수 위에서 나 혼자 난리를
쳤던 게 약간 허무해지는 느낌이다.

내일도 호수와 내가 무사하길 바란다.

열세 번째 날

2020년 2월 21일
날씨는 기록하지 못했음

오늘도 바람이 분다. 예보상으로는 어제보다
풍속이 시속 5킬로 가량 느린 시속 14킬로이지만
체감상으로는 거의 비슷한 것 같다. 그래도
어제만큼 시종일관 바람이 신나게 불어대지는
않아서 조금 나은 것도 같다. 출근을 하니 섬이
바람에 많이 깎였다. 한눈에 보기에도 작아져
있다는 게 느껴진다. 바람이 깎아놓은 대로 섬
위로 올라가는 길을 따라 눈을 가득 실은 썰매를
끌고 올라가 봉우리에 눈을 내려놓는다. 아주 작은
섬이지만 그 위에 올라가면 소박한 조망권을 누릴
수 있다. 썰매를 끌고 섬 위로 올라가는 것은 땅에서
눈을 퍼다 쌓는 것보다 느리고 힘들지만 그런대로
재미있다. 섬 위는 좁아서 눈을 쌓으면 봉우리의
외곽선이 변하는 게 눈에 보이는데, 멀리 보이는
숲을 경계로 그 외곽선이 아주 미세하게 점차 다른
풍경을 만들어가는 것을 보는 맛이 있다.

저녁나절의 이 하늘을 보면서 퇴근할 수 있어서
행복하다. 해가 넘어가는 곳에서 불타는 주황과

노랑을 등지고 파스텔 톤의 분홍색과 보라색이 있는 곳으로 퇴근을 한다. 일터인 호수 중앙에서부터 내 베이스캠프인 캐빈으로 가는 시간은 대략 15분. 그 찰나의 시간 동안 밤은 파스텔빛 분홍과 보라를 밀어올리고 조금 더 짙어진 파랑과 감색을 깐다. 밤이 도래하는 그 색깔 속으로 퇴근을 한다는 것이 행복하다.

내일도 나와 호수가, 내 사람들이 무사하기를 빈다.

열네 번째 날

2020년 2월 22일

맑음, 바람 없음, 최저기온 -11℃, 최고기온 -3℃

힘든 날이었다. 몸도 안 힘든 건 아니었지만 몸보다
마음이 훨씬 더 힘들었다.

아침에 호수에 나가자마자 얼음이 쩌저적 하고
갈라지는 소리가 들렸다. 오늘은 그 어떤 날보다
자주 그리고 크게 들렸다. 소리가 들릴 때마다
죽을 수도 있다는 생각이 계속 든다. 빌리는
얼음이 두꺼워지는 소리라고 하지만 내가 얼음이
두꺼워지는 소리인지 얼음이 깨지는 소리인지,
그것을 구분할 턱이 없다. 죽을 수도 있다는 생각을
떨칠 수가 없다. 이 소리가 너무 무섭다. 정말 너무
너무 무섭다. 혹여나 내가 이곳에서 죽게 된다면
내 죽음을 당신의 죽음보다 더 고통스러워할
사람들을 생각하니 불쌍하고 미안했다. 그게
너무 고통스러웠다. 하지만 그런 내 마음 따위는
아랑곳하지 않고 호수는 이곳저곳에서 쉴 새
없이 으르렁거렸고, 그 한가운데에서 나는 어느
방향으로도 발 한 걸음 떼지 못하고 그대로
주저앉아 엉엉 울었다. 무섭다고 울부짖으며
꺼이꺼이 울었다. 눈물을 줄줄 흘리면서 오전 일을

정리하고 돌아와 혹시 내가 죽게 된다면 가장
힘겨워할 이에게 남기고 싶은 말을 적었다.
이 일을 계속 할 수 있을까. 얼음이 정말 깨지든 안
깨지든 그 전에 이 공포감 때문에 죽을 것 같다.
지금까지 이 일을 하면서 경이롭고 행복했던 많은
순간들을 비웃기라도 하듯 오늘은 마음이 온통
힘들었다.

언제까지 삽질을 해야 할지 고민 중이다. 이 얼음이
녹기 전에 일정을 연장해서 작업을 더 해볼까
생각도 했었다. 오늘은 마음을 정해야지 생각했는데
결정이 쉽지 않다. 3월 중순부터는 호수가 얇아져
더 이상 안전하지 않을 수 있다는 이곳 주민들의
이야기로 미루어보아 더 일할 수 있는 시간은
길어봐야 2주 정도가 될 것 같은데, 그 기간 동안
더 커진 섬과 더 얇아진 얼음 위로 또 나가야
한다고 생각하면 이미 너무 무섭다. 내일까지만 더
고민하기로 한다. 이 작업에서 내가 어떤 결정을
하든 그 결정이 전적으로 옳다고, 그래서 그 결정

이후에는 뒤도 돌아보지 않겠다고 생각한다. 호수에 나가 그 소리를 듣는 사람도, 그래서 이 두려움을 감당하고 있는 사람도 결국 나다. 어떤 선택이든 내가 결정하는 그것이 가장 맞는 것이다.

내일도, 이 작업이 끝날 때까지 제발, 나와 이 호수가 무사하기를 빈다.

열다섯 번째 날

2020년 2월 23일

맑음, 바람, 최저기온 -6℃, 최고기온 2℃

아주 약간 따듯한 날이었다. 기온이 영상으로 올라갔다. 어제의 감정적 여파로 출근하는 일이 힘들었다. 몸이 마음을 따라가는 것인지, 피로가 쌓여서 그런 것인지는 모르겠지만 몸 이곳저곳이 쑤시다. 하루쯤은 쉬어야 할 것 같다. 호수 밑에서 얼음이 갈라지는 소리만 나지 않으면 일은 그런대로 할 만하다. 삽질을 하고 있으면 이내 내가 서있는 얼음에 대한 생각을 잊어버리고 쓸데없는 잡생각에 몰두한다. 그때가 가장 편하다. 때때로 방문객이 찾아온다. 동료 작가인 리사도 그간에 몇 번 다녀갔고 스노우 라이더들도 한번씩 와서 무슨 일을 하는지 묻는다. 오늘은 날씨가 맑고 따뜻한 날이어서 그랬는지 라이더들도 호수에 많이 오고 갔고, 동료 작가 중 한 명인 피터도 빌리의 스노우 모바일을 얻어 타고 잠시나마 들렀다 갔다.

오늘도 그 소리를 들었다. 그런데 그 소리가 그 소리인지는 잘 모르겠다. 그간에 그 소리가 나는 날에는 기온이 꽤 많이 떨어진 날들이었다.

최저기온이 영하 15도 이하로 떨어지는 날에 대체로
그 소리를 들었다. 어제 점심시간에 이곳 스태프 중
한 명인 수잔과 얘기를 나누면서 알게 된 것인데,
그 소리가 얼음이 얼면서 부피가 늘어나는 힘
때문에 얼음이 서로를 밀어내면서 나는 것이라고
했다. 오늘은 단 한 번, 내가 쌓은 섬 앞에서 얼음이
퍽 하고 움직이는 소리를 들었다. 하지만 오늘은
이전과는 달리 날씨가 그렇게 춥지 않았고 잠시나마
기온이 영상으로 올라가는 몇 안 되는 날이었다. 그
소리가 들리자마자 반사적으로 뛰어 섬으로부터
멀리 도망쳤다. 평소 퇴근시간까지는 조금 더 시간이
남아있었지만 날씨가 따듯한 날 이런 소리가 나는
것은 그다지 좋은 일처럼 여겨지지 않아 그대로 일을
마쳤다.

이 일은 여러모로 산에 다녔던 일들을 생각하게
한다. 죽으려고 용을 써서 그곳에 들어가 놓고
살려고 용을 쓰는 꼴도 그렇고, 그렇게 해서 최대한
겸손하게 이 압도적인 자연이라는 존재 속에서

머물러야 하는 것도 그렇다. 겸손하지 않으면
죽는다. 겸손해도 죽을 수 있다.

이곳에 더 머물겠다는 선택이 잘한 결정인지
모르겠다. 사실은 너무 무섭다. 그 호수도, 얼음이
언제 깨질지 모른다는 불안감도, 소름 끼치는 그
소리도, 그걸 며칠간 다시 들어야 한다는 것도, 그
모든 게 너무 무섭다. 일주일 후면 다른 작가들은
모두 떠날 것이고, 나는 짐을 빼서 근처 여관으로
거처를 옮겨야 할 것이다. 나 혼자 남아있는 그
적막함 속에서 매일 호수로 나가 하루를 보내는
것이 지금까지 그랬던 만큼 즐겁고 경이로운
순간들이 될 수 있을까? 이 작업에 외롭고 힘든
기억만 심어주는 일이 되는 것 아닐까? 그 모든
것들이 두렵고 심란하다. 그래도 결과가 어쨌든 내가
이곳에서 죽지만 않는다면 괜찮은 선택이었다고
생각할 수 있을 것이다.

부디 나와 호수가, 나의 사람들이, 무사하기를 바란다.

열여섯 번째 날

2020년 2월 25일

맑음, 바람 아주 약간, 최저기온 -1℃, 최고기온 10℃, 따뜻한 날씨

두 시간 정도만 일했다. 연일 따뜻한 날씨가
이어지고 있다. 어제는 영하로 내려가지도 않았고,
최고기온은 영상 10도를 웃도는 봄 날씨다. 이런
날씨에 계속 무게를 쌓는 것은 현명한 일이 아닌 것
같아 일을 자제하고 있다. 날씨가 이런데 얼음에서
소리가 난다면 그것은 얼음이 두꺼워지는 소리는
아닐 것이다. 일을 두어 시간 하고 나니 섬 바로
아래에서 쿵 하는 큰 소리가 들렸다. 그대로
일을 마치고 돌아왔다. 따뜻했던 그제와 오늘 섬
아래에서 났던 소리가 얼음이 터지는 소리라면,
얼음이 두꺼워지는 소리와 얼음이 깨지는 소리에는
차이가 없다. 그간에 기온이 떨어진 날 들렸던
소리와 그제와 오늘 났던 소리의 차이를 구분할
수가 없다는 이야기이다. 그날그날의 온도와
상황으로밖에 판단할 수밖에 없다. 앞으로 작업을
얼마나 더 할 수 있을지는 알 수 없지만 주의를
기울여야 할 것 같다.

섬이 엊그제 즈음부터 계속 녹고 있다. 오늘 가보니

섬은 절반에 가까운 정도로 작아져 있었다. 주변에
쌓여있던 눈들도 그 높이가 확연히 줄어든 게 눈에
보인다. 스노우 라이더들의 눈에 띠라고 표시해
놓은 나뭇가지들이 조금 더 모습을 드러냈고,
삽질을 하니 호수 바닥이 오랜만에 언뜻언뜻 얼굴을
드러낸다. 눈에 띄게 작아진 섬을 보니 내가 하는
일의 실체를 좀 더 여실히 느낀다. 이것은 쓸모없는
일이다. 이 섬이 어떻게 사라지게 될지 그림을 그릴
수 있었다. 날씨가 본격적으로 따뜻해지기 시작하면
이 섬은 며칠 사이 흔적도 없이 사라질 것이다.
이상하게도 그게 위안이 된다.

섬의 표면이 물에 젖은 양모처럼 얼룩덜룩하다.
날씨에 따라 섬의 크기와 표면, 질감이 달라진다.
눈은 슬러시 같아졌다. 물이 잔뜩 함유된 눈이다.
삽으로 눈을 뜨니 더 묵직하다. 섬의 크기가
작아져서 얼음이 이 무게를 조금 더 버틸 수 있지
않을까 생각한 것도 잠시, 다시 생각해 보니 섬의
크기가 작아진다 하여 그 무게가 가벼워진 것은

아닐 수도 있겠다는 생각이 든다.

이렇게 바람도 불지 않는 따듯한 날, 얼음 밑에서
소리가 나지 않는 호수는 너무나 한가롭고
평화롭다. 얼음이 녹고 있는 것을 생각하면 그
평화로움은 환상이겠지만, 소리만 나지 않으면 그
환상에 흠씬 취해서 흥얼흥얼 노래를 부르며 삽질을
한다. 불현듯 들리는 쿵 소리는 그 평화로움과 명확
한 대조를 이루며 환상을 깨버린다. 얼마나 더 일할
수 있을지 알 수 없다. 날씨와 호수가 말해줄 것이다.
이번 목요일부터는 다시 추워지고 눈이 온다는데,
그때가 아마도 내가 삽질을 할 수 있는 마지막
기간이 되지 않을까 싶다.

내가 이 일을 잘 마무리지을 수 있을 때까지, 이
호수와 내가 무사하기를 바란다. 사랑하는 이들의
호수가 평안하기를 간절히 기원한다.

열일곱 번째 날

2020년 2월 28일

흐림, 눈과 바람, 최저기온 -12°C에서 16°C 사이, 최고기온 모름

며칠간 봄 날씨를 연상케 하는 따듯한 날씨가
이어지더니 오늘은 기온이 뚝 떨어지고 눈이 왔다.
흐린 날씨에 바람이 많이 불어 호수는 온통 하얗고
아무것도 보이지 않았다. 내가 눈을 떠서 무언가를
보고 있다는 것이 믿기지 않을 정도로 앞이
새하얗다. 내 시각이 착오를 일으켜 흰색밖에 보지
못하는 느낌으로 그렇게 호수 위를 헤맨다. 그간의
따듯한 날씨에 섬의 크기도 현격하게 작아졌을
것인데, 눈과 바람이 가시거리를 줄여놓으니 도무지
섬이 어디 있는지 찾을 수가 없다. 가까스로 찾은
섬의 크기는 거의 7~8일차의 규모로 줄어든 것
같다. 날씨가 따듯했던 지난 며칠간 눈이 녹았고
다시 얼었다. 딱딱하게 버석거리는 섬은 얼음 섬에
가까웠고, 투명한 푸른빛을 띠었다.

광활한 호수에 비해 작고 소박하지만 섬은
미약하게나마 바람의 행로를 굴절시킨다. 섬이
바람을 가로막아 바람이 불어오는 반대 방향으로
길게 그림자처럼 그 부분만 눈이 쌓이지 않았다.

눈이 쌓이지 않은 부분은 녹았던 눈이 다시 얼어
얼음이 되어 있었다. 온 세상이 하얘서 아무것도
보이지 않는 가운데 바람이 만들어놓은 얼음
그림자만 푸르스름한 빛깔을 띠어 가까스로 눈에
띈다. 내가 호수 위에서 소리에 예민해지는 이유는
시각이 제한을 받기 때문이다. 평평한 호수 위 내
키의 두 배 높이로 서있는 섬을 바로 코앞에서야
가까스로 볼 수 있는 정도의 가시거리, 그런
환경에서 주변 상황들을 인지하려면 다른 감각에
더 의존할 수밖에 없다. 바람 소리에 묻혀있는
소리들 중에서 식별할 수 있는 소리들을 듣는다.
구름 위를 지나가는 비행기의 소리, 멀리서 제설차가
경보음을 내며 눈을 치우는 소리, 스노우 모바일이
움직이는 소리. 어떤 소리가 눈이 움직이면서 나는
소리인지, 아니면 내가 모르는 소리인지를 곰곰이
듣는다. 무슨 소리인지 알 수 없는 소리들도 들린다.
짐승의 울음소리 같기도, 바람이 거칠게 얼음
위를 갈아대며 불어오는 소리 같기도, 어떤 기계음
같기도 한 그런 소리들이 멀리서, 그리고 가까이서

들린다.

오늘 내린 눈은 아픈 눈이었다. 거센 바람에
실려오는 딱딱한 얼음 같은 눈이 얼굴을 가격한다.
그게 따가워서 바람을 마주서서 바라볼 수가 없다.
바람을 등지고 삽질을 한다. 퇴근을 할 때도 뒤로
걸어 돌아왔다.

내일은 레지던시가 공식적으로 끝나는 날이라
이사를 한다. 더 남아 작업을 하기로 결정을
하고 이곳 사람들에게 숙소로 쓸 만한 곳에 대해
조언을 구하자 메리루와 빌리가 내가 지낼 거처를
내어주시기로 했다. 이곳의 사람들에게 너무나 큰
도움을 받고 있다. 그게 감사하다. 그리고 그들의
호의에 미안해하지 않으려고 노력하고 있다. 빌리와
메리루, 이 작업 일부에 그들이 있다. 그들이 나와
함께 이 무용한 삽질을 같이 하고 있다. 그렇게
생각하니, 다른 어떤 것보다, 내가 쌓은 섬보다,
그렇게 해서 찍은 기록물보다, 내가 만든 그 어떤
것들보다, 그들의 존재가 나를 더 뭉클하게 했다.

내일은 동료 작가들이 떠나고 나는 이사를 한다. 이 일이 많이 두려웠고 지금도 그렇지만 왠지 이제는 혼자 이 일을 하지 않을 수 있을 것 같다. 얼음이 깨져 내가 물에 빠지더라도 누군가가 나를 건져 올려주지 않을까, 그런 믿음이 생긴다. 물론 그 모든 게 누군가의 마음대로만은 되지 않을 수도 있지만.

이곳에서 내가 더 머물 수 있는 시간이 길지는 않겠지만 남은 기간에도 즐겁게 일할 수 있기를, 그리고 메리루와 빌리의 집에서 또한 잘 지낼 수 있기를 소망한다.

이 호수와 내가, 그리고 이곳 모두의 호수가 오래도록 평안하기를 바란다.

열아홉 번째 날*

2020년 3월 2일

맑음, 바람 아주 약간, 최저기온 -12℃, 최고기온 -4℃

* 3월 1일에도 호수에 나가서 일을 했는데,
　밤에 빌리와 맥주를 마시다 너무 늦어지는
　바람에 일지를 쓰지 못하고 잠들었다.

엊그제 메리루와 빌리가 살고 있는 집으로 이사를
했다. 같은 마을이지만 생활의 환경이 달라지니
작업의 루틴 역시 약간의 변화가 생겼고 이러한
변화에 맞춰 작업의 흐름을 다시 찾아가려고 노력
중이다. 어제와 오늘은 날씨가 좋았다. 기온은
떨어졌지만 호수에서는 그 소리가 들리지 않았다.
호수 위는 평온했고 목요일에 새로 온 눈이 아직 채
얼지 않아 부드럽게 부스러졌다. 오랜만에 만난 섬의
크기는 다시 현격하게 줄어있었다. 며칠간 지속된
따듯한 날씨로 규모는 줄어들었고 표면은 목요일에
새로 온 눈 덕분에 부드럽고 매끈했다.

메리루와 빌리에게 엄청난 신세를 지고 있다.
먹이고 재워주는 것, 장비를 빌려주는 것. 호수에
나가 작업을 수월하게 할 수 있도록 빌리가
스노우 모바일을 태워주는 것 등. 가족처럼 딸처럼
그렇게 내가 하는 일을 물심양면 도와주고 있다.
미안해하지 않아야지 생각하면서도 레지던시
스태프인 메리루가 곤란해지는 것은 아닌가 싶어

마음이 편하지만은 않다. 그러나 막상 호수에 나가
섬을 대하는 내 마음은 여전히 이 일을 조금만 더
하고 싶어 한다. 그래서 이곳에 남았고, 그 마음은
변함이 없다. 내게 주어진 시간이 얼마나 될지는
모르겠지만. 삽질을 하고 있을 때의 마음은 비로소
이곳의 호수처럼 편안해진다. 삽질을 하면서 내내
생각한다. 이곳을 떠나기 전 메리루와 빌리에게
어떻게 감사의 마음을 표현하고 보답할 수 있을지를.
우선은 이 일을 잘 마무리해야겠다고 생각한다.
그들도 함께 하고 있는 일이니까.

내일부터는 조금 더 늦게까지 일해야겠다. 이곳에
머무는 동안 호수에서 석양을 좀 더 많이 보고 싶다.

이곳 모두의 호수가 평안하기를 마음으로 간절히
기도한다.

스무 번째 날

2020년 3월 3일

흐림, 간간히 눈, 바람 없음, -2℃에서 6℃ 사이라는데 예보가 들쭉날쭉

날은 흐렸고 간간히 눈이 왔다. 일하는 도중에 섬 밑에서 얼음이 우지끈 하는 소리가 한번 들렸다. 이 생각 저 생각을 하며 삽질을 하다 불현듯 들리는 그 소리는 내 사고의 흐름을 즉각적으로 모조리 끊어놓는다. 그게 어떤 생각이었든 그 소리를 듣고 나면 그 이전에 했던 생각은 아무리 되짚어 떠올리려 해도 하나도 기억이 나지 않고 그 소리 이외에 다른 것에는 아무것도 집중할 수가 없다. 그러고 나면 그날은 일하면서 종일 청각이 예민해져 귓속의 솜털이 다 뾰족하게 서있는 느낌이다. 호수에서 들리는 온갖 소리에 내 모든 신경이 집중된다. 구름 위를 지나가는 비행기 소리와 멀리 마을에서 스노우 모바일 시동 거는 소리가 바로 옆에서 들리는 것처럼 그렇게 잘 들릴 수가 없다. 호수 위가 조용해서 그런 걸까.

일하는 중간중간 눈이 왔다. 처음에 내린 눈은 싸락눈이어서 얼굴을 따갑게 하더니, 저녁이 다 되어 내린 눈은 함박눈이었다. 바람도 없는 가운데

굵디굵은 눈송이가 축복처럼 너무나 예쁘게
하늘에서 성글게 내려앉았다. 이내 눈송이는 가늘고
촘촘해졌고 약한 바람에 날려 사선으로 내렸다.
섬의 규모가 일정 정도 이상으로 커지면 그 역시도
공포감의 원인이 되는 것 같다. 섬에 지그재그로
올라가는 길을 만드는 재미가 있는데 그 재미로
한참 눈을 쌓고 나니 15일차 때의 섬의 규모와
비슷해진 느낌이었고, 섬을 보면서 겁먹었던 그때의
감정이 다시 한번 들었다. 한동안은 기온이 계속
올라갈 것 같다. 며칠만 더 일하고 싶다는 욕심이
있지만 이 섬은 겨울 동안만 살아있는 한철살이니까,
그걸 받아들여야겠다고 생각하고 있다. 비가 온다는
소식도 있던데, 비가 오면 다시 섬이 작아질까. 다시
섬이 작아지면 마음 편히 눈을 더 쌓을 수 있을까.
아니면 이제 이 섬의 한철살이를 끝낼 시기라고
받아들여야 할까.

내일은 더 따뜻해진다. 아주 조금만, 며칠만 더 이
호수에서의 시간이 주어졌으면 좋겠다.

내일도 이 호수와 내가, 사랑하는 사람들의 호수가, 메리루와 빌리의 호수가 모두 무사했으면 한다.

스물한 번째 날

2020년 3월 4일

맑음, 바람 없음, 최저기온 5℃, 최고기온 17℃

봄 날씨였다. 오전에 메리루를 도와주고 오후
느지막이 나간 호수는 따듯했다. 어제의 섬은
하루 사이 놀랄 만큼 작아져 있었다. 이제 이 일을
끝내야 할 시기가 코앞으로 다가온 것을 느꼈다.
이게 이 섬의 마지막 숨이 되겠구나. 죽어가는 섬에
젖은 솜처럼 무거워진 질척한 슬러시 같은 눈을
쌓아 올려 심폐소생을 시킨다. 심폐소생이라고는
하지만 쓸모없는 일이라는 걸 안다. 내가 이 호수와
바람과 눈에게 언제나 한없이 작은 존재였듯이,
성큼 다가온 봄과 그 따스함 속에서 사라질 이 섬의
운명은 내가 어찌할 수 없는 것이다. 무용한 삽질을
한다. 달라질 것은 없다. 원래 그런 일이었으니까.
이곳에 남기를 잘했다는 생각이 든다. 레지던시가
끝나고 후다닥 짐을 싸서 비행기를 타는 것보다
이곳에서의 기억을 잘 정리하고 이 호수와 섬과
작별할 시간을 가질 수 있다는 것이 더없이 좋다.
이 섬의 죽음을 시간을 두고 애도할 것이다. 그러고
나면 점점 작아지다 봄의 햇살 속으로 사라지게 될
그의 모습을 따듯하고 아득하게 그릴 수 있을 것

같다. 며칠쯤이나 이 일을 더 할 수 있을까. 내일은
비가 온다는데 내일은 할 수 있을까. 토요일까지는
최저기온이 영하이기는 하니까 토요일까지는 할 수
있으려나. 오늘은 멀리서 날아다니는 제우스님을
다시 봤다. 저번처럼 가까이서 본 것은 아니었지만
그를 다시 볼 수 있어 반가웠다. 아마도 가까이서
본 게 아니라서 반가울 수 있었던 것 같다. 오늘의
호수는 조용했다. 멀리서 들리는 스노우 모바일의
소리도 비행기의 소리도 거의 안 들렸을 정도로
그렇게 조용했다. 이곳에서의 시간이 얼마 남지 않은
걸 생각하니 이 순간들을 조금 더 만끽하고 싶어서
늦게까지 호수에 있었다. 이제 많이 질척해진 호수
표면 위를 걸어 마을로 돌아올 때 머리 위에는 아주
밝은 반달이 떠 있었다.

언제가 될지는 모르겠지만, 이 일을 마치는 순간까지
호수와 내가 무사했으면 한다.

스물두 번째 날

2020년 3월 5일

맑음, 바람, 최저기온 -2℃, 최고기온 2℃

호수 표면은 하루 사이 엄청 녹아서 거대한
슬러시가 되었다. 푸딩 위를 걸어 다니는 것처럼
발이 한도 끝도 없이 푹푹 빠진다. 섬에 다다르니
섬 주변에는 물웅덩이가 생겨 해자처럼 섬으로의
접근을 막고 있었다. 섬이 죽어간다. 죽어가는
섬의 몸에서 투명하고 맑은 물이 나온다. 섬은 더
이상의 심폐소생을 거부한다. 이 호수처럼 조용하게
마지막을 맞고 싶은 것 같다. 더 이상 삽질을 할
수 있는 상황도 아닌 듯하고 이 섬도 그걸 바라지
않는 것 같다. 그저 사진 몇 장과 영상 몇 개를 찍고
돌아왔다. 이제 이 일의 마지막이 보인다. 그래도
삼 일 정도는 더 일할 수 있을 거라 생각했는데 이
호수의 환경은 언제나 내가 감당할 수 있는 것보다
훨씬 더 높은 차원에 있다. 이렇게 성큼 다가온 봄을,
이 섬의 죽음을 받아들여야 하는 순간이다.

그러나 호수는 이별과 애도의 순간을 점잖게 보내줄
리 없다. 바람이 미친 듯이 불었다. 사진 몇 장 영상
몇 개를 찍는 것도 버거울 만큼 극심한 바람이다.

삼각대가 흔들려 영상은 죄다 흔들리고 카메라를 든
손이 덜덜덜 떨린다. 햇살은 눈부신데 바람은 미친
듯이 불어 도무지 카메라 스크린을 볼 수가 없다.
다만 적당한 각도라고 생각되는 정도에서 셔터를
누를 뿐이다. 썰매에 싣고 온 짐들이 바람에 날린다.
삼각대 커버와 마스크, 마이크 커버 등등이 썰매와
함께 공중에 날아간다. 흩어진 물건들이 바람에
날려 멀리멀리 100미터는 떨어진 숲 언저리까지
날아간다. 들고 있던 카메라를 내려놓고 미친 듯이
달려 물건들을 하나하나 챙긴다. 발이 슬러시 푸딩
속으로 푹푹 빠져 빨리 달릴 수가 없다. 간신히
하나를 주으면 아직 챙기지 못한 다른 물건들은 더
멀리 날아가고, 그러면 또 미친 듯이 달린다. 또 푸딩
속으로 발이 푹푹 빠진다. 욕을 욕을 하면서 간신히
물건들을 다 챙기면서도 이렇게나 푹푹 빠지는 발이
무섭다. 이렇게 푹푹 빠지다가 정말로 얼음 밑으로
빠지게 되는 건 아닐까 싶을 정도로 정강이까지
쑤욱 하고 얼음 슬러시 속으로 빨려 들어간다. 조금
더 머물고 싶었지만 급하게 철수하고 돌아왔다. 이

호수는 이제 마지막이라고 생각하면서도 다시 올
이유를 하나는 남겨놓고 왔다. 스노우 라이더들을
위한 호수 위 표지판에 고정해놓은 임시 카메라
마운트를 철수하지 않고 돌아온 것이다. 기온이
다시 떨어지는 금요일이나 토요일 즈음에 호수에
다시 한번 들를 수 있을 것 같다.

정이 너무 많이 들었다. 나도 모르는 사이 이 호수와
이곳의 사람들에게 마음을 다 준 것 같다. 떠나야
할 날은 오고 있는데 이러저러하게 비행기 표를
사는 것은 계속 미루고 있다. 코로나 때문에 갈
데 없어지면 꼭 다시 돌아오라는 빌리와 메리루의
말에, 이제 가면 다시 볼 수 있을까라는 생각이 각자
깔려있는 것 같아서 조금 아프다. 이곳의 모두가,
내가, 사랑하는 사람들이, 모두 오래 살았으면
좋겠다.

호수 일지

© 문서진

지은이	문서진
편집	김영글
디자인	단칸
표지 사진	문서진

펴낸곳	돛과닻
등록번호	제2019-000091호
주소	서울시 은평구 증산서길 101-6 201호
전자우편	sailandanchor.info@gmail.com
웹사이트	sailandanchor.net
인스타그램	sailandanchor

ISBN	979-11-968501-9-7 (03810)
발행	초판 1쇄 발행 2022년 10월 28일